Feiliúnach do pháistí ó 6 go 9 mbliana d'aois

Walker Books Ltd, Londain, a d'fhoilsigh an bunleagan i 1999 faoin teideal
Well Done, Little Bear

ISBN 1-85791-290-X

Printset & Design Teo. a rinne an scannánchló i mBaile Átha Cliath
Arna chlóbhualadh i Hong Cong

Le ceannach ó Oifig Dhíolta Foilseachán Rialtais,
Sráid Theach Laighean, Baile Átha Cliath 2, nó ó
dhíoltóirí leabhar.
Nó tríd an bpost ó:
Rannóg na bhFoilseachán, Oifig an tSoláthair,
4-5 Bóthar Fhearchair, Baile Átha Cliath 2.

An Gúm, 44 Sráid Uí Chonaill Uacht., Baile Átha Cliath 1

MAITH THÚ, A BHÉIRÍN

Scéal: Martin Waddell
Maisitheoir: Barbara Firth
Aistritheoir: Éilís Ní Anluain

AN GÚM
Baile Átha Cliath

Bhí dhá bhéar ann tráth, Béar Mór agus Béirín. Béar fásta ba ea Béar Mór agus béar óg ba ea Béirín. Lá amháin dúirt Béirín gur theastaigh uaidh an choill mhór a fheiceáil. As go brách leis agus Béar Mór ina dhiaidh.

Tháinig Béirín go Carraig na mBéar.

'Breathnaigh ormsa,' arsa Béirín.

'Breathnaigh ormsa ag dreapadh ar Charraig na mBéar.'

'Maith thú, a Bhéirín,' arsa Béar Mór.

‘Beir greim orm,’ arsa Béirín.

‘Tá mé chun léim mhór a thabhairt.’

Léim Béirín de Charraig na mBéar

agus rug Béar Mór air.

Níor fhan Béirín i bhfad.

As go brách leis arís agus

Béar Mór ina dhiaidh.

Tháinig Béirín go dtí
seanchrann cam.
'Breathnaigh ormsa,' arsa Béirín.
'Breathnaigh orm i mo
shuí ar an ngéag.'

Bhí an-spórt ag Béirín ar an ngéag.

'Breathnaigh orm ag léim agus ag luascadh.'

'Maith thú, a Bhéirín,' arsa Béar Mór.

'An bhfuil tú réidh,
a Bhéir Mhóir?' arsa Béirín
tar éis tamaill.

Leis sin thug Béirín léim
mhór as a chorp . . .

agus luasc tríd
an aer . . .

. . . isteach i lámha láidre Béir Mhóir.

'Rug tú orm arís!' arsa Béirín.

'Maith thú, a Bhéirín,' arsa Béar Mór.

As go brách le Béirín arís agus

Béar Mór ina dhiaidh.

Tháinig Béirín ar abhainn i lár na coille.

'Breathnaigh ormsa,' arsa Béirín.

'Breathnaigh orm ag dul trasna na habhann liom féin.'

'Maith thú, a Bhéirín,' arsa Béar Mór.

Léim Béirín ó chloch go cloch.

'Is mé an léimneoir is fearr ar domhan!'

ar seisean, agus lean sé air ag léim ó chloch go cloch.

‘Tabhair aire, a Bhéirín,’ arsa Béar Mór.

‘Ní baol dom,’ arsa Béirín.

‘A Bhéirín . . . !’ arsa Béar Mór.

Ach go tobann . . . !

splais!

. . . thit sé de phleist isteach san abhainn.

'Cabhraigh liom, a Bhéir Mhóir,' arsa Béirín.

'Tá mé fliuch báite.'

Isteach le Béar Mór san abhainn agus tharraing sé Béirín as an uisce.

Rug sé barróg ar Bhéirín.

'Ná bí ag caoineadh,' arsa Béar Mór.

'Beidh tú tirim i gceann tamaill.'

'Téimis ar aghaidh píosa eile,'

arsa Béar Mór. 'Cén áit?' arsa Béirín.

'Trasna na habhann,' arsa Béar Mór.

'Ach,' arsa Béirín, 'b'fhéidir go

dtitfeá mar a thit mise.'

'Ní thitfidh mé má thaispeánann tú dom

an chloch ar shleamhnaigh tú uirthi.'

'Sin í an chloch,' arsa Béirín.

'Maith thú, a Bhéirín,'

arsa Béar Mór.

Ar aghaidh le Béar Mór agus
Béirín tríd an gcoill gur shroich siad
Pluais na mBéar ar deireadh.

Shuigh siad síos go breá compordach sa Bhéarchathaoir.

'An raibh faitíos ort, a Bhéirín, nuair a thit tú isteach san uisce?' arsa Béar Mór.

'Ní raibh faitíos ar bith orm mar bhí tusa in éineacht liom,' arsa Béirín.

'Sea, a Bhéirín, agus beidh mise in éineacht leat . . .

i gcónaí.'